Hw

MAE HI'N WYLIAU!

Cerddi am Wyliau a Hamdden

gan Anni Llŷn

a Beirdd Plant Cymru

Golygydd: Myrddin ap Dafydd

Darluniau gan John Lund

Gwasg Carreg Gwalch

Cynnwys

Cyflwyniad

Mae pawb yn hoffi gwyliau, hyd yn oed beirdd. Mae gwyliau yn golygu hwyl, rhyddid, antur a threulio amser gyda'r bobl gorau yn dy fywyd. Ydi, mae hi'n fendigedig mynd ar wyliau. Felly beth am roi gwyliau bach i dy ddychymyg? Coelia di fi, rhwng dau glawr y cei di a dy ddychymyg wyliau anturus. Felly, dwi'n dy wahôdd i ddod ar wyliau gyda beirdd plant gorau'r wlad. Cei fynd i wersylla, ymweld â'r sŵ, dathlu Gŵyl Eurig a mynd gyda Kevin i Nefyn. Ac mi fydd dy gês yn llawn odlau, darluniau a chymeriadau lliwgar, i gyd yn gweiddi... "Hwrê! Mae hi'n wyliau!!".

Cofion,

Anni Llŷn

Cês Llawn Cyflythrennu

Dwi wedi pacio yn barod am wyliau,
ond mae'r cês yn llawn o drugareddau!

Llyfr llofnodion,
gemau gwirion.
Tedi tew,
llygaid llew.
Brwsh blewog,
esgid enwog.
Fferins ffrwydrol,
dannedd doniol.
Sosban seimllyd,
draenog drewllyd.
Pasta porffor,
teiar tractor.
Chwilen chwim,
papur prin.

Tybed alli di ychwanegu
at y rhestr hurt drwy gyflythrennu?

Anni Llŷn

Dad ar ei wyliau!

Nid yw Dad byth yn gwisgo siorts blodeuog.
Dywed Mam fod coesau ffermwr yn rhy flewog.

Ond un flwyddyn, ar ôl swnian am fisoedd,
cawsom fynd ar wyliau, y cyntaf ers blynyddoedd.

Roedd hi'n rhy boeth i Dad wisgo'i ddillad ffermio,
rhaid oedd tynnu amdano a rhoi siort blodeuog i nofio.

Ymddangosodd ei goesau – roedd blew yn eu
gorchuddio,
ond roedd dau damaid moel lle bu ei welis yn rhwbio.

Wir, welais i erioed o'r blaen y fath olygfa.
Roedd hi'n amlwg i bawb fod Dad *angen* gwylia'.

Anni Llŷn

Arogli Atgofion

Arogl eli haul
a hwnnw'n drwch ar fy nghefn.
Rhwbio a rhwbio,
ac yna dwrdio
am i mi rowlio'n y tywod yn rhy fuan.

Arogl gwymon
wedi dryllio ar y creigiau,
darganfod pwrs môr-forwyn
a hwnnw'n llawn cyfrinachau.

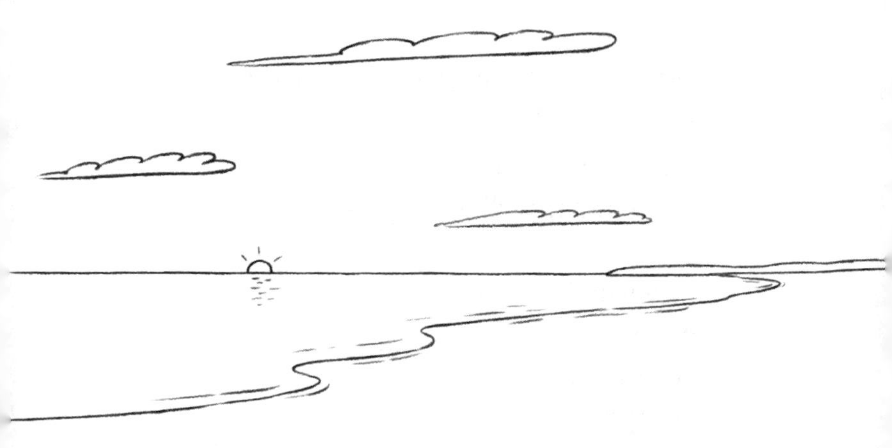

Arogl caws wedi toddi
yn diferu oddi ar y pitsa.
Pob bys yn seimllyd
a ninnau'n swnllyd
wrth stwffio pob tamaid i'n ceg.

Ac arogl y nos.

A'r cyfan yn gynnes, gynnes.

Anni Llŷn

Gwyliau yn y Garafan

“Mae gen i rhywbeth i’w gyhoeddi”
meddai Dad.
“Eleni, mae’r teulu cyfan
yn mynd ar wyliau yn y garafan.”

“Gwych!”
“Grêt!”
“Campus!”
“Cŵl!”

I ffwrdd â ni i bacio
heb ddim trwbwl.

Ond buan y daeth y gwirionedd,
a thorri gwynt yn ein wynebau.
Roedd Dad yn golygu'r "teulu cyfan".
Roedd pob aelod yn dod ar wyliau.

Nain Tŷ'n Twll
a Taid Wyneb Gwirion.
Anti Gwenda
a'i chwech o feibion.
Bari brawd Mam
a'i gariad pum munud.
Beti a Ceti,
dwy gyfnither, 'run ffunud.
Huw brawd Taid
a Nain Ffon.
Alwena a Dafydd
a'u babi newydd sbon.
Ni'r plant, Mam a Dad,
dau gi, parot ac Anti Ann.

Pawb...

...wedi stwffio'n y garafan.

Anni Llŷn

'Steddfod Llawn Llofnodion

Bora cynta'r 'Steddfod,
mae fy synhwyrau yn finiog.
Dwi'n chwilio'n frwdfrydig
am unrhyw un enwog.

Ifan Jones Evans, neu Dai wneith y tro.
Shan Cothi, Al Huws – neu hyd yn oed Tommo.

Elin Fflur, Meinir Gwilym, unrhyw un o Sir Fôn.
Mari Lovegreen, Lisa Jên – genod clên 'nôl y sôn.

Rocars Candelas, Sŵnami neu Bromas.
Manon Steffan Ros neu Bethan Gwanas.

Aneirin Karadog, DJ Sal neu Bendant.
Eurig Salisbury, Gwyneth Glyn – unrhyw Fardd Plant.

Gareth Bale, pam lai? Neu Trystan Ellis-Morris.
Mr Urdd, Dewi Pws, Tudur Phillips a'i fusus.

Owain o Tag neu unrhyw chwaraewr rygbi.
Mae'n rhaid fod rhywun yn fodlon llofnodi!!

Bora ola'r 'Steddfod
mae fy synhwyrau wedi sychu.
Gormod o enwogion,
a dwi wedi laru.

Anni Llŷn

Angel y Nadolig

Angel fach a ddaeth o'r llwch
i eistedd ar y goeden,
beth oedd dy freuddwyd
wrth i'r llwch
orchuddio dy ddwy aden?

Ai breuddwydio am y 'Dolig,
am yr hud a'r lliwiau tlws?
Neu freuddwydio am gael sbecian
ar y byd trwy gil y drws?

Angel fach a ddaeth o'r llwch
i eistedd ar y goeden,
beth oedd dy freuddwyd
wrth i'r llwch
droi'n drwch, yn drwm fel carthen?

Ai breuddwydio am y teulu,
am y plant a'u bysedd tlws?
Neu breuddwydio am gael hedfan
i'r byd trwy gil y drws?

Angel fach a ddaeth o'r llwch
i eistedd ar y goeden,
mae un ferch yn dy wylio,
yn ceisio'n ddwys
dy ddarllen.

Anni Llŷn

Gwyliau Nadolig

Sawl cysgad eto, Dadi,
nes daw Santa ata' i?
Sawl awr o'r wawr sy' ar ôl
yn awr, sawl munud hwyrol?
Sawl eiliad Si-hei-lwli
nes daw Santa ata' i?

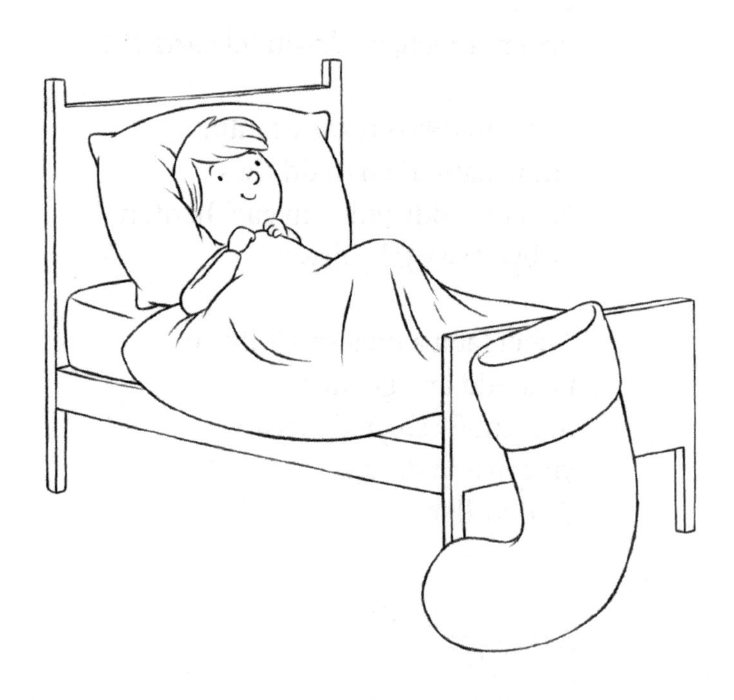

Sawl tic-toc liw nos siocled
a sawl winc hyd nes daw'r sled?
Sawl seren wen cyn mwynhad
yr antur, sawl amrantiad?
Sawl anadl sy' eleni
nes daw Santa ata' i?

Maith, wir, yw'r methu aros
a'r un hyd yw'r dydd a'r nos:
er bod y tymor ar ben
a hud yng ngolau'r goeden,
nid ydyw'n wyliau, Dadi,
nes daw Santa ata' i.

Ceri Wyn Jones

Ar lan y môr erstalwm...

I Aberdyfi un diwrnod, daeth tyrfa fawr gerbron,
I ddewis brenin Gwynedd drwy'r gystadleuaeth hon:
Sef aros am yr hiraf ar gadair yn y lli
A'r un heb ffoi na boddi a fyddai'n mynd â hi.

Roedd un â chadair sgleiniog, un arall ag un bŵl,
Ac un â gorsedd ddrudfawr, yn meddwl fod o'n cŵl!
Cadeiriau trwm ac ysgafn, rhai llydan a rhai cul –
Ac un 'di dod â soffa, a'i chludo ar gefn mul.

Arglwyddi a brenhinoedd o bedwar ban y byd
Ac yn eu plith roedd Maelgwn oedd am eu curo i gyd.
Roedd ganddo was reit gyfrwys – a Maeldaf Ffals oedd o –
Ddyfeisiodd gadair ryfedd, yr orau ers cyn co'.

Adenydd gŵydd oedd arni, a'r rheini'n wyn i gyd.
Arnofiai ar y tonnau fel tasai'n gadair hud.
Roedd Maelgwn eto'n eistedd, yr olaf ar y môr;
"Y fo 'di'r brenin gora!" meddai'r lleill i gyd fel côr.

Doedd o ddim bob tro'n garedig – fe allai fod yn gas,
Ond roedd yn wir ddiolchgar fod ganddo gystal gwas.
A heno mae 'na barti, mae pawb yn gallu mynd,
Y tlawd a'r cyfoethogion, pob un yn dod â ffrind.

Ar y Fardre yn Neganwy, bydd pawb yn dod ynghyd
I ganmol Maelgwn Gwynedd sef brenin gorau'r byd!
A rhaid i bawb roi pennill er mwyn yr hwyl a'r sbri,
A dyna yw'r llinellau hyn a ganaf nawr i chi!

Ifor ap Glyn
hefo plant Ysgol Maelgwn, Llandudno (Bl. 3 – 6)

Gŵyl Eurig

Mae Cymru'n llawn o wyliau
Ar hyd yr holl dymhorau,
Mae gŵyl gan bawb yn ddi-ben-draw ...
Heblaw amdanaf innau.

Mae gŵyl gan Ddewi Ddyfrwr,
Mae gŵyl gan Barc Dinefwr,
Mae gan Gerdd Dant ei gŵyl ei hun,
Mae gŵyl gan bob un canwr.

Mae gŵyl gan Santes Dwynwen,
Ac Elli, Cybi, Callwen,
Gŵyl i Gynog Sant a Non
A Garmon, Curig, Collen.

Mae gŵyl San Ffraid yn Chwefror,
Ym Medi, Deiniol Bangor,
Yn Awst caiff Ffagan glamp o ffair,
A Mair ym mhob un tymor.

Mae rhai'n dweud, wir, fod gormod
O wyliau ond, dwi'n gwybod
Yr hoffai pawb gael amser bant
I 'ngwneud i'n sant am ddiwrnod.

Eurig Salisbury

Cwestiynau Bach Mawr

(*Sisial Maela ar draeth*)

Pam fod y tywod mor felyn?
Ai am fod yna friwsion
o'r heulwen wedi disgyn?

Pam fod y môr ar brydiau yn las
ac yna weithiau yn wyrdd?
A pham ei fod mor hallt ei flas?

Pam fod y tonnau'n sisial?
Ai fy enw i gallaf eu clywed
o dro i dro yno'n mwmial?

Pam fod y môr yn ffoi o hyd?
Oes yna rywun yn ceisio
ei ddwyn yr ochr draw i'r byd?

Dad, pam fod gwyliau'n diweddu?
"Fel `na, Sisial, cei di edrych 'mlaen
at fwy o wyliau braf fel heddi."

Aneirin Karadog

Gwesty Moethus

Siocled a chreision a jeli,
Bob bore a phrynhawn,
Creu golwg a llanast ym mhobman;
Beth bynnag a fynnwn a gawn.

Aros ar ein traed am oriau,
Y teledu 'mlaen drwy'r dydd.
Cael bownsio a dawnsio ar y gwely.
Wel, dyma'r lle gorau sydd!

Aros drwy'r dydd mewn pyjamas
A chael sylw yn ddi-baid.
Mae ambell westy gwych i'w gael
Ond y gorau yw tŷ Nain a Taid!

Mei Mac

Gwyliau

Roedd Mr T. H. Parry-Williams
(am ei fod yn rhy ddiog neu hen)
Yn 'cau mynd o'i dŷ ar ei wyliau –
Roedd o'n mynd 'a'i ddychymyg yn drên'.

Ond doedd rheilffordd T. H. ond yn cyrraedd
Cyn belled â'r Wyddfa a'i chriw.
Mae fy nychymyg i yn awyren,
A dw i am gael gwyliau 'Mheriw.

Twm Morys

Gwyliau efo Dad

Mae Dad yn byw ymhell i ffwrdd
felly dim ond weithiau y byddwn ni'n cwrdd.
Ond braf ydi mynd o dro i dro
ar antur i aros efo fo,
a'i heglu hi lawr hyd lonydd y wlad
i fy ail gartref, sef cartref fy nhad.

Cyn cyrraedd y tŷ mi awn ni am swper
fy newis i – Macdonald's fel arfer.
Byrgyr, *fries*, sôs coch a *mayo*
(fyddai fy Mam ddim yn cymeradwyo!)

Mae Dad a finna fel dwy felin bupur
wrth sgwrsio, cynllunio a malu awyr:
"Mi awn ni ar ein beiciau'n y bora!"

"Mi rasia i di, Dad!"

"Gei di drio dy ora!"

"Gawn ni fynd i'r sinema yn y pnawn?
Ga i sglaffio popcorn nes bydda i'n llawn?
Gawn ni gêm o gardiau?
Nei di adael 'mi ennill?
Nei di ddarllen dy stori?

Nei di adrodd dy bennill?
30 Nei di ganu'r gân am yr ystlum a'r botwm –
yr un byddat ti yn ei chanu erstalwm?
Nei di 'ngoglais i'n rhacs?
Nei di fwytho fy ngwallt?
Ac egluro'r holl eiriau nad ydw i'n eu dallt?
Os rhanna' i gyfrinach, nei di beidio'i datgelu?
Na dwrdio os bydda i'n gwlychu fy ngwely?
Ga i aros ar fy nhraed tan berfeddion?
Gawn ni chwarae gêm y geiriau gwirion?
Nei di sbîo arna i'n brwsio fy nannedd?
Nei di anwybyddu'r baw dan fy ngwinedd?
Ga i ddiffodd y gannwyll a chwythu'r mwg?
Nei di faddau imi am fod yn ddrwg?"

“Gwnaf, a chei, a iawn, o’r gora!”

“Nos da, Dad. Dy garu di. Wela i di’n bora...”

Ac wrth i’m llygaid bach i gau
mi edrycha i ’mlaen at ein hantur ni’n dau
ar gefn ein beiciau fel dau farchog
yn hela hynt y gelyn arfog.
Mae reid efo Dad i lawr y stryd
llawn cystal â gwibdaith i bedwar ban byd.
Ac er mai byr ydi ’ngwyliau bach i,
bobol, sôn am sbort gawn ni!

Gwyneth Glyn

Y Sw

Pan ddaw hi'n ddydd Sadwrn bydd Huwcyn a fi
yn dringo i'r car yn awyddus,
a gwibio yn llawen i bob cwr o'r wlad
i chwilio am gyfle anturus.

Nid mynd i weld rygbi na chwaith gêm bêl-droed,
na mynd i roi tro ar ferlota,
na mynd i dorheulo ar draeth ger y lli,
ond mynd, ni ein dau, i steddfota.

Adroddwr yw Huw ac mae'n cofio pob gair,
ond canu sy'n well gennyf innau,
ac wrth droi am adre, os cawn ni'n dau lwc,
bydd ein bagiau ni'n llawn o dariannau.

Ond hyn yw difyrrwch y diwrnod i ni
(a mil gwell na phlesio'r holl feirniaid)
cael sefyll ar ymyl y llwyfan yn ddewr
er mwyn gwylio y sioe anifeiliaid.

Oherwydd mewn festri a neuadd y plwy
mae rhywbeth go ryfedd a chyfrin
yn digwydd i famau a thadau bach call:
mae'n nhw'n colli pob synnwyr cyffredin!

Mae rhai'n troi yn bysgod gan symud eu ceg
nes bod geiriau yn ffurfio mewn swigod,
mae gyddfau'r rhai tawel yn troi fel jiraff,
a rhai swnllyd yn ymddwyn fel llewod,

pob un am y gorau yn wên ac yn wg,
yn fosiwns i gyd yn eu seddau,
yn union fel pengwins neu gocatws mud,
neu eirth sydd yn sownd mewn cadwynau.

Ac weithiau, mae'n anodd arnom ni, y plant bach,
i lwyddo i ganu ein darnau,
neu adrodd llinellau sy'n drist ac yn hir,
a'n rhieni ni'n gwneud y fath stumiau ...

Mae rhai, ar bnawn Sadwrn, yn mynd tua'r sw
a thalu yn ddrud am drip diwrnod,
heb ddeall mai cartre'r bwystfilod go iawn
yw lle bynnag bo neuadd eisteddfod.

Mererid Hopwood

I ble'r af fi?

I ble'r af fi ar fy ngwyliau?
Everest? Neu falle'r Bannau?
Ffrainc, Majorca, Lloegr, Sbaen
Adelaide neu Abergwaun?

San Fransisco neu Peru
Bryn Saith Marchog, Timbuktu
Carolina, Hendy Gwyn
Lagos? Dinas Ho Chi Min?

Y Bahamas neu Hawaii,
Dinas Dinlle neu Dubai,
Portiwgal neu Belarus,
Madagasgar neu Gaersws?

Be' am Paris neu Berlin
San Marino neu Glan Llyn
Seland Newydd, Sblot Siapan,
Indonesia neu Gwm-Ann?

Moscow, Tenerife, Beijing
Buenos Aires neu Peking.
Mi allwn fynd i bob un o' rhain
Ond well gen i fynd i dŷ Nain!

Caryl Parry Jones

Dechrau gwyliau'r haf

Symud drwy'r dorf
fel gwthio drwy'r rhedyn
gan chwilio'n ofer am blatfform cywir.

Trenau'n rhuo,
plant eraill yn ffraeo,
gwadnau'n clopian,
sodlau'n clecian
pawb yn rhuthro ac yn tuchan.

Yn ein dillad haf,
'dan ni'n ynys o liw,
a'n bagiau fel 'tasen ni'n symud i fyw.
cyn neidio,
fel gwiwerod i'n cerbyd
heb ddeall llais cacwn yr uchelseinydd,

Ac wrth i Mam ein cyfri
(rhag colli'r un plentyn),
Daw chwiban y giard –
Mae'r trên ar gychwyn!

Ifor ap Glyn hefo plant Ysbyty Ifan (*Bl.* 3 – 6)

Pabell wedi storm

Neithiwr: storm a dwndwr.
Gwynt chwalu a malu a'r ffenestri'n crynu.
Y lein ddillad yn wastad
â'r lawnt yng ngolau'r lleuad.
Y ffôn weiren yn farw grempogen
ac yn rhybudd o'r newydd
mai gwan ydym yn nannedd y stormydd.

Dad ar ei ffôn bach yn fawr ei strach
yn ceisio cael ateb pendant
gan rywbeth heblaw peiriant.
Yna cyhoeddodd amser te:
"Mae'n Awst – Aberdaron ydi'r lle!
Gwersylla yw gwyliau i mi
ers haf hirfelyn Un Naw Saith Tri!"

Ym mhen draw'r garej, mae pabell oren;
ym mhen draw'r garej, mae stof fach felen;
ym mhen ei thennyn, mae Mam yn dweud
"Mae gen i ormod o bethau i'w gwneud!"
Mae hi am aros, ac felly y ni:
dwy chwaer fawr a fi a'r ci
a Dad ("Mae awyr las fan draw!")
sy'n llwytho'r geriach yn y glaw.

"Fel y daeth eich taid â fi i Lŷn,
rwyf finnau'n dod â chithau fy hun –
Trosglwyddo'r profiad o un i un!"
meddai Dad gan wenu'n llydan
a gyrru ymlaen i sŵn y daran.

Mae dau o'r polion wedi cracio;
mae sip y drws yn gwrthod sipio.
Gwrthodwyd anobeithio
uwch y pethau oedd wedi'u anghofio:
y sachau cysgu a'r dillad gwely...
yr ordd i guro'r pegiau... a'r ffyrc a'r platiau...
dim ond mynd ati i godi pabell wobli reit handi.

Ond cyn y machlud, cawn lafn o heulwen;
daw tân o'r diwedd i'r stof fach felen;
cawn wledd o fîns dan leuad oren
a chwarae cardiau â chriw o Fôn...

Pawb ond Dad, sydd i fyny'r lôn
yn chwilio am signal ar gyfer ei ffôn.

Myrddin ap Dafydd

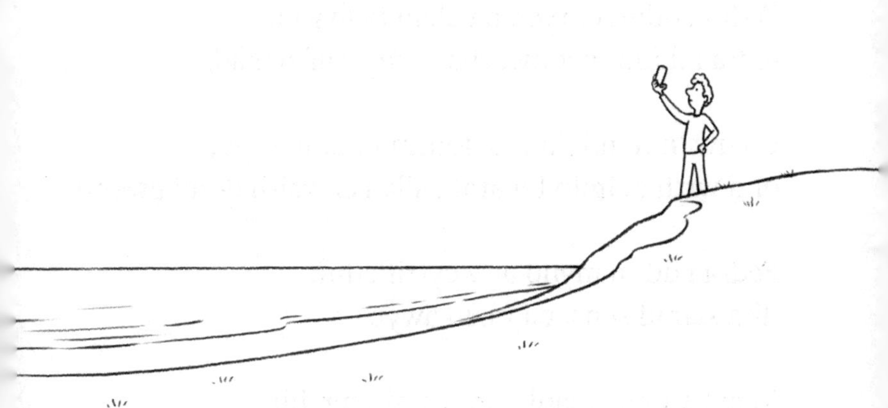

Hamddena

Mae Dad yn cwyno o hyd ac o hyd
fy mod i'n ddiog ac yn gwneud dim byd.

Gwneud dim byd?! Dechreuais feddwl...
dydy hyn ddim yn bosib, ddim yn bosib o gwbwl.

Fedra i ddim eistedd, achos mae hwnnw'n wneud,
na sefyll chwaith, na distewi na dweud.

Fedra i ddim symud, er cymaint fy awydd,
ond fedra i chwaith ddim aros yn llonydd.

Fedra i ddim edrych na chau fy llygad,
fedra i ddim meddwl rhag ofn y caf syniad.

Os dwi'n teimlo'n gas, fentra i ddim gwgu,
ond wrth deimlo fel arall, alla i chwaith ddim gwenu.

Fedra i ddim mynd ar y cyfrifiadur,
dim siarad sens, na malu awyr.

Rhaid stopio anadlu am yn hir, hir, hir
os 'di be mae Dad yn ei ddweud yn wir.

Wrth feddwl amdano, mae gwneud dim byd
yn un o'r pethau anoddaf i gyd.

Tudur Dylan Jones

GWYLIAU

'Bûm i lawer tro yn yr India
Yn byw 'mysg y teigrod mawr ...
Marchogaeth eliffantod gwyllt
I fyny fry fel cawr.

Dwi wedi esgyn pob mynydd
Draw yn yr Himalaya
Heb ddarn o rhaff i gadw'n saff
Gallaf ddringo unrhyw gopa.

Nofio gyda siarcod chwim
Ym moroedd pell Japan
A neidio ar gefn morfilodd tew
(... Bob nawr ac yn y man).

Unwaith mi ês i Awstralia
Ac wedi ymladd nadrodd porffor
Bûm yn hwylio llong môr-leidr cas
Cyn dianc gyda'i drysor

Mor hawdd mynd ar wylie anturus
A theithio'r byd i gyd
Wrth orwedd lawr yn esmwyth
A breuddwydio yn fy ngwely bach clyd!

Dewi Pws Morris

Ble'r Aeth y Dosbarth ar eu Gwyliau?

Aeth Wil i Brasil,
aeth Dai i Dubai;
aeth Siân i Oman,
a Cai i Mumbai.

Aeth Wyn i Berlin,
aeth Ann i Milan,
aeth Jac i Irac,
a Dan i Iran.

Aeth Ffion i Lyon,
aeth Mali i Bali;
Natasha i Croatia,
a Sali i Mali.

Aeth Llio i Rio,
a Tania i Rwmania,
Olivia i Bolifia,
a Lisa i Pisa.

Aeth Silyn i Ddulyn,
a Ceri i Derry;
aeth Deio i Mayo.
a Deri i Kerry.

Ond o bob un a aeth dros y byd
i gael y gwyliau gorau i gyd,
yr un hapusaf ydoedd Kevin
a dreuliodd wythnos wych yn Nefyn!

Ceri Wyn Jones

Dathlu'r Pasg yn sir y Fflint

Mae 'na estrys brown yng Ngwespyr
Sy'n pori mewn cae hud
A ffens Kit Kat o'i gwmpas
I'w warchod rhag y byd.

Mae'n gallu dodwy wyau
A rheini'n flasus iawn
Achos siocled yw y plisgyn –
Wel, dyna ichi ddawn!

Ac ymhob ŵy mae Smarties,
Rhai oren, pinc a glas
(Nid estrys fechan fflwffi)
– Mae'n brysur iawn bob Pasg!

Ac maen nhw'n cloddio'r papur metel
O hen waith Parlwr Du,
A'i lapio am yr wyau –
Mae'n sgleiniog ac yn gry'.

A draw ym mhentre Gronant
Yn tyfu ar y coed
Mae bocsus dal ŵy siocled
Mor lliwgar ag erioed.

A dyna pam mai sir y Fflint
Yw'r orau yn y byd,
Pob clod i estrys Gwespyr
Sy'n dodwy'r wyau'i gyd.

Ond peidiwch trio'u dwyn nhw
A'u cuddio yn eich freezers
– daw plant y Mornant ar eich ôl
a'ch saethu â Maltesers!

Ifor ap Glyn hefo Ysgol y Mornant,
Picton (Bl. 5 – 6)

Dim Hwyliau ar Wyliau

Aeth Gwenlli ar ei gwyliau
I Ynys Enlli, do,
Ac yn y cenlli'n Enlli, wel,
Aeth Gwenlli bron o'i cho'.

Aeth Elin ar ei gwyliau
I'r Felinheli un haf,
Ond glawiodd. Doedd 'run teli'n
Y Felin i Elin ... naaa!

Aeth Iona ar ei gwyliau
I Draeth Llanddona ddoe,
Ond doedd 'na'm ond tonna'n
Llanddona, so,
Daeth Iona o'na'n gloi.

Eurig Salisbury

Gwyliau Boring!

Pan awn ninnau ar wyliau fel teulu
bydd fy nhad i bob haf yn dweud:
"Dihuna, gwisga, rho'r gorau i gysgu!" –
gwn yn iawn bydd pethau i'w gwneud...

O amgueddfa i amgueddfa
o hyd ac o hyd ac o hyd,
ac mae ganddo dalent am fynwenta;
rhwng bedd a bedd, boring yw'r byd!

A lle, yn y car, rôl darllen cerrig,
a fynn dad yn wir, fynd â ni?
Awn o eglwys i eglwys, rhai pwysig
yn ôl y sôn, ond ni welais i

unman i chwarae na chwa o weiren
wib i wibio heibio i bawb.
O am wyliau sydd yn drwm o heulwen,
beicio i draeth â bwced a rhaw,

byw fel meistri, diogi a digon
o ddiod a bwyd a ddaw o bell.
Oriau'n how-orwedd a chwarae'n wirion,
yn lle rhyw gyrch fai'n llawer gwell.

Ond rhywsut gwybod yr holl wybodaeth
yw fy *super power* bob ha',
a rhywsut, arwr trwy wres anturiaeth
yw fy nhad ac mae'n deimlad da.

Aneirin Karadog

Antur vs Adref

Mi ges i gynnig mynd ar wyliau
i weld rhyfeddod y pyramidiau.
Ond gwell gen i aros adra'n Sir Fôn
i fwynhau fy Nhoblarôn!

Mi ges i gynnig mynd i sgîo
a gwersi i rai nad oedd 'rioed wedi trio.
Ond mae llethrau Awstria yn serth, 'nôl y sôn;
Mae hi'n saffach o lawar adra'n Sir Fôn!

Mi ges i gynnig saffari am ddim
ac antur a hanner mewn jîp bach chwim.
Ond i be yr a' i i grwydro i lawr y lôn?
Mae hi'n llawer difyrrach adra'n Sir Fôn!

Mi ges i gynnig tocyn awyren
dosbarth cyntaf a gwesty pum seren.
Ond pwy sy' isio gwely diarth, pell?
Mae adra'n Sir Fôn llawer iawn gwell!

Mi ges i gynnig *cruise* efo ffrind
a dyma gytuno ar f'union i fynd
am fis ar y llong i wledda'n foethus
a chysgu mewn caban bach clyd a chyfforddus
a glanio bob hyn a hyn ar y lan
i weld rhyfeddod ambell i fan.

A bobol, dyna edrych ymlaen
am hwylio i... ble? Yr Eidal? Sbaen?
Ynysoedd pell y Caribî?
I ble roedd y fferi 'ma'n mynd, medda' chi?
Wel, i'r lle godidoca' sydd, yn y bôn,
sef glannau glandeg Ynys Môn!

Gwyneth Glyn

Cysylltu/Odli

Os cei di ryw saib ar dy wyliau,
rho dro ar greu 'cadwyn o eiriau'
rhaid cysylltu neu odli
bob un heb ddim oedi
fel bo'r diwedd yr un peth â'r dechrau

CYSGU ... dysgu,
canu, côr,
llais, pais,
bicini, môr,

pysgod, tonnau,
geiriau, cerdd,
aderyn, cangen,
coeden, werdd,

wen, gafr,
buwch, llo,
brefu, gwenu,
gwg, bwci-bo,

ysbryd, nosi,
cosi, plu,
ieir, ceiliogod,
piod, du,

inc, sinc,
sebon, glân,
mwd, rygbi,
coch, tân,

llosgi, eli,
haul, glaw,
cawod, mwncïod,
cynffon, llaw,

bys, gewin,
eithin, drain,
cain, cywrain,
bychain, main,

nain, teisennau,
cacennau, cacs,
melysion, marathon,
blino'n rhacs ...

CYSGU!

Mererid Hopwood

Amser gwyliau nôl mewn amser

Un diwrnod ar fy ngwyliau
wrth fynd â'r ci am dro,
mi welais feic mewn coeden
– dringais tuag ato fo.

Roedd yn hen a hir a rhydlyd
a mwd ar hyd y tsiaen
a doeddwn i erioed 'di gweld
beic o'r fath o'r blaen.

Wrth y gloch roedd cyfrifiadur
ac mewn bag bach dan y sêt
roedd llyfr cyfarwyddiadau.
Beic amser oedd o!
Grêt!!

Padlo mlaen oedd rhaid ei wneud
i weld y byd a ddaw;
Ond padlo nôl wnes innau
i'r flwyddyn pump saith naw.

Gwelais Dewi yn yr ysgol
yn cwffio hefo'r plant
ac yn cega hefo'i athro
– doedd heb eto ddod yn sant!

Ac oes y deinosoriaid
oedd nesaf ar fy nhaith,
cyn iddyn nhw farw'n llwyr,
a dyma ichi ffaith –

nid comed wnaeth eu lladd nhw,
ond mynd i'r Ysgol Sul;
wrth fethu cofio adnod –
mi lyncodd pob un ful.

Yn olaf, padlo wnes i
i fil naw cant un dau
a gweld y llong Titanic
yn hwylio dros y bae.

Ond wrth nesu at y llong
mi'i thrawais hefo clec
a suddo wnaeth oherwydd
y twll wnes dan ei dec.

Ro'n i'n teimlo'n euog wedyn,
mi ês â'r beic yn ôl
a'i guddio'n 'twll dan grisiau
ar ôl 'mi fod mor ffôl.

Tro nesa'r af i arno
i'r dyfodol af am daith –
rôl pasio fy mhrawf gyrru
a minnau'n un deg saith!

Ifor ap Glyn hefo plant Ysgol y Graig,
Llangefni (*Bl.* 4)

Gwyliau Globli Bwnc

Fy enw ydi Globli Bwnc
Dwi'n byw ymhell, bell, bell
Ar blaned fach o'r enw Onc,
A wir, does dim ei gwell!

Mae popeth ar fy mhlaned i
Yn wastad ac yn sych
Ac mae pob dim yn borffor,
Porffor, fflat, sych – gwych!

Ond er mor wych yw'r blaned Onc
Mae angen newid 'does?
Mae'n bryd 'mi fynd ar wyliau
'Chos dwi'm 'di bod ers oes.

Dwi isio mynd i rywle
Gwahanol i fan hyn,
Rhywle sydd yn wyrdd a glas
Lle wela' i faes a llyn.

Lle wela' i fynyddoedd
A bryniau ym mhob man
A môr sy'n glir fel crisial
A thraeth braf ar ei lan.

Lle mae 'na gân a chwerthin,
A chroeso ar bob stryd,
A iaith sy'n bur a swynol
Ar wefus pawb o hyd.

Ond does 'na 'nunlle felna
Yn ein bydysawd ni;
Os glywch chi am rywle – newch chi
Roi gwbod plîs i mi?

Caryl Parry Jones

Methu aros

Ydi'r *iPad* wedi ei bacio?
Y gogyls a'r adenydd gwynt?
Mae hyd yn oed meddwl am gychwyn yn gwneud
I fy nghalon i guro'n gynt.

"Gawn ni nofio'n y pwll yn y t'wyllwch?
Fel y gwnaethon ni o'r blaen?
A sgwennu ein henwau'n yn y tywod poeth?
O Mam! Mae 'na hen edrych ymlaen!

"Gawn ni fwyta'n yr un caffi eto?
Dwi'n cofio ble mae o yn iawn.
Gawn ni bicnic dan y coed sy'n felyn a choch?
A physgota? O plîs, dwêd y cawn!"

Mae'r tocynnau wedi cyrraedd!
Mae fy 'nghoesau bach yn crynu!
Ydi popeth yn barod at y gwyliau mawr?
Does ond wyth mis tan hynny!

Mei Mac

Drwy'r niwl a'r glaw

Bore du, a dal y bŷs drwy'r niwl a'r glaw...
Cwyd dy galon, tonnau glas mis Awst a ddaw.

Prydau trwm: yr uwd, y cawl a'r blawd yn bla...
Fawr o dro, mi fydd hi'n lyfu hufen iâ.

Cotiau tew a chau botymau, llewys hir...
Cotwm ysgafn, trowsus bach ddaw'n ôl i'r tir.

Tywydd soffa, caeau'n wlyb, dim awyr iach...
Tymor nesaf: tywydd teg ben bore bach.

Lle mae lluniau llynedd? Linc y gwyliau nesaf...?
Wel, mae'n rhywbeth difyr inni'i wneud o leiaf

aRhannu straeon ddoe, hel blas at beth a ddaw...
Ac mae llygad gwyn o haul drwy'r niwl a'r glaw.

Myrddin ap Dafydd

Gwyliau yng Nghymru

Ar fy ngwyliau'n un oed, mi es draw i'r Rhyl,
ac er nad wy'n ei gofio, roedd y tywydd yn *bril*!

Ar fy ngwyliau'n ddwy oed, mi es i Lanegwad,
am fis yn yr haf, a mwynhau pob un eiliad.

Ar fy ngwyliau'n dair oed, mi es i Bontiago,
ac mi gofia i am byth yr hwyl a ges yno.

Ar fy ngwyliau yn bedair, mi es i Ddolgarrog,
ac wrth droed y mynydd cael amser ardderchog.

Ar fy ngwyliau'n bump oed, mi es draw i Feifod
a dwi isho mynd nôl ar fy ngwyliau yn barod.

Ar fy ngwyliau'n chwech oed, mi es i Lan-non
a gweld Cantre'r Gwaelod o dan y don.

Ar fy ngwyliau'n saith oed, mi es i Gilmeri
a gweld cofeb Llywelyn a darllen ei stori.

Ar fy ngwyliau'n wyth oed, mi es i Lanelli
a chlywed am Trevor ac Eileen Beasley.

Ar fy ngwyliau'n naw oed, mi es at Dryweryn
a dysgu am foddi'r hen bentre 'Nghwm Celyn.

Ar fy ngwyliau'n ddeg oed, mi es i'r Preseli
a gweld lle bu'r Merched yn malu'r clwydi.

Bydda i wedi gweld pob clogwyn a chae,
pob traeth a phob craig, pob ffordd a phob bae,

pob bryn, pob afon, pob mynydd a phant
erbyn i fi gyrraedd fy mhenblwydd yn gant.

Tudur Dylan Jones

Gwyliau Mam

Ma' Mam yn un dda am wyliau
Mae'n 'u trefnu nhw'n dragywydd:
Y cyntaf yw "Gŵyl Codi'n Gynnar" –
Er nad oes gen i'r awydd!

Nesa, "Gŵyl Ystafell Molchi"
A brwsio'n nannedd yn lân
Cyn mynd lawr yr ardd â briwsion bach
– "Gŵyl Fwyd yr Adar Mân".

Gwylie "Mynd i'r Ysgol",
Neu "Gwylie Neges o'r Siop"
Maen nhw'n digwydd yn feunyddiol
Heb oedi, heb saib, heb stop.

Dwi'n siŵr nad yw Mam yn deall
Beth yn hollol ydy "Gŵyl",
Ond mae'n gwbod yn iawn bydd fy niwrnod yn llawn
A'r holl dascie yn teimlo fel hwyl!

Dewi Pws Morris

Oes rhaid inni fynd?

Mae'n wyliau, wa-hŵ! ...ond rwy'n ofni'r drefn:
Taith hir yn y car, a hynny'n y cefn...
Bydd fy mrecwast yn lliwiau tlws
Ar hyd cloddiau corneli Caer-sws.

Mae'n wyliau, wa-hŵ! ...ond be' ydi hyn?
Cyrraedd Maes Awyr a gafael yn dynn
Yn fy mag a 'mhasport. I fyny... ...a Bwmp!
Oes rhaid bod mor wyllt wrth hedfan dros lwmp?

Mae'n wyliau, wa-hŵ! ...ond dacw'r dyfnfor;
Sŵn tjaeniau a chrombil llong yn agor;
Toc dim ond tonnau at y gorwelion:
Fy mol fel cwmwl, fy nhraed fel gwymon.

Mae'n wyliau, wa-hŵ! ...drwy'r twnnel du,
Ysgwyddau a bagiau a choesau lu
Yn stwffio'n erbyn ei gilydd am le
Wrth daranu dan seleri'r dre.

Mae'n wyliau. Maen nhw o hyd, o hyd,
Yn chwilio am nefoedd ym mhen draw'r byd.
Beth sydd o'i le – dim ond un waith –
Ar feddwl am wyliau heb feddwl am daith?

Myrddin ap Dafydd

Cyfrol gyntaf y gyfres gan Feirdd Plant Cymru

CERDDI GWALCH
Salwch Odli
cam
mam
nam
ham
pam
llam
Cerddi
Margiad Roberts
Lluniau
Helen Flook

Odli Wobli
Cerddi
Tony Llewelyn
Lluniau
Helen Flook

Rhif Llyfr Safonol Rhyngwladol:
978-1-84527-618-8

Cyhoeddwyd gyda chymorth Cyngor Llyfrau Cymru
a chydweithrediad Bardd Plant Cymru

Dylunio: Eleri Owen
Llun clawr: Emyr Young
Lluniau i gyd: John Lund

Cyhoeddwyd gan Wasg Carreg Gwalch,
12 Iard yr Orsaf, Llanrwst, Dyffryn Conwy, Cymru LL26 0EH.
Ffôn: 01492 642031
e-bost: llyfrau@carreg-gwalch.com
lle ar y we: www.carreg-gwalch.com

Argraffwyd a chyhoeddwyd yng Nghymru